Gallimard Jeunesse / Giboulées sous la direction de Colline Faure-Poirée

© Gallimard Jeunesse, 2001
ISBN : 2-07-054314-5
Dépôt légal : février 2004
Numéro d'édition : 330
Loi n° 49956 du 16 juillet 1949
sur les publications destinées à la jeunesse
Imprimé en France par **Partenaires-Livres**® (JL)

Juliette la Rainette

Antoon Krings

GALLIMARD JEUNESSE / GiBOULÉES

Près du jardin, une vieille mare, immobile et rêveuse, abritait dans la fraîcheur de ses roseaux une bondissante petite personne qui s'appelait Juliette. Elle avait des yeux tout ronds, un large sourire et un joli ciré vert pomme. Et comme toutes les rainettes (les grenouilles, pas les pommes), elle avait aussi beaucoup de sœurs et encore plus de cousines. Malheureusement, si Juliette était toujours d'humeur facile, douce, charmante, et n'avait jamais fait de mal à un moustique, ses sœurs étaient sans cœur et ses cousines mesquines.

Hugo l'asticot se souvient encore de l'invitation à la fameuse partie de pêche dont il fut l'appât. Ce jour-là, il but une bonne tasse et se jura de ne plus jamais y retourner.

Et, surtout, écoutez les misères qu'elles firent à ce pauvre Roméo, qui était pourtant un crapaud très comme il faut, apprécié de tous au jardin.

En ce temps-là, Roméo venait souvent se promener sur les bords de la mare pour retrouver Juliette. Il l'aimait depuis toujours, mais il était si timide qu'il osait à peine lui parler.

– Pensez-vous que nous allons avoir de la pluie aujourd'hui, Mademoiselle Juliette ?

– Hélas, le ciel est bleu, répondit-elle.

– Et sans nuages, ajouta-t-il.

– Quel dommage, murmura-t-elle.

– Quel dommage qu'il soit si gros… et laid ! s'écrièrent les sœurs qui les épiaient, la tête à fleur d'eau.

– Affreux et gras, renchérirent les cousines en coassant bêtement. Coa-kra-kra !

Le pauvre petit crapaud s'affligeait tellement d'avoir l'air si laid et d'être la risée de toute la mare que Juliette s'écria hors d'elle :

– Laissez-le tranquille !

– C'est ça, laissons tomber ce vieux sac mouillé ! crièrent en chœur les vilaines sorcières.

Mais elles continuèrent à se moquer du crapaud si méchamment que Roméo dut s'enfuir et rentrer chez lui au jardin. Là, il se cacha sous une pierre et pleura longtemps, longtemps, jusqu'à cette nuit mystérieuse où il entendit au loin le chœur joyeux des prétendants humides. Alors Roméo, qui pensait toujours à Juliette, sortit de son trou et par bonds pressés s'approcha de la mare. « C'est le moment de l'enlever », se dit-il en sautant sur une feuille de nénuphar.

Timidement, il commença à chanter sa romance, puis prenant de l'assurance et sûr de son effet, il enfla de plus en plus la voix et sauta au milieu de la mare, bien en vue. Mais au lieu du succès attendu, ce fut un vrai scandale. Les prétendants, verts de rage, le poussèrent dans l'eau boueuse, plouf ! et tandis qu'il s'enfonçait dans la vase, les rainettes chantaient d'une voix moqueuse :

« Il pleut, il mouille, c'est la fête à la grenouille. Il est gros, il tombe à l'eau, c'est la fête du crapaud ! »

– Sauvez-le, il se noie ! hurla Juliette en blêmissant.

– Ah non, pas question ! On s'est faits tout beaux, on ne va pas plonger là-dedans, dirent les prétendants.

Soudain, l'infortuné crapaud reparut à la surface et nagea de toutes ses forces pour atteindre la rive. Et avant que Juliette puisse le secourir, il se hissa sur la berge, puis disparut dans les herbes, la rage au cœur.

« Oh, si seulement, si seulement je pouvais accomplir quelque chose d'extraordinaire, gémissait sans cesse Roméo. Quelque chose qui ferait de moi un héros à ses yeux. »
C'est alors qu'il eut une idée lumineuse en découvrant le tuyau d'arrosage qui courait sur la pelouse du jardin comme un long serpent sans tête. « Voilà un déguisement effrayant, sous lequel personne ne me reconnaîtra », murmura-t-il en se glissant dans l'embouchure du tuyau.

Après quelques douloureuses contorsions pour enfiler son nouvel habit, il se déroula lentement, et la tête la première rampa en se tortillant vers les roseaux.

Ce fut aussitôt l'épouvante parmi les habitantes de la mare. Les grenouilles, prises de panique à la vue de l'effroyable serpent, bondissaient dans tous les sens, et se jetaient à l'eau.

Roméo profita de ce terrible remue-ménage pour se faufiler jusqu'au jardin. Là, à l'abri des regards, il se débarrassa du tuyau et revint au bord de la mare en chantant fièrement : « C'est moi le plus fort, c'est moi le plus grand, le plus habile chasseur de serpent, le prétendant au cœur ardent… »
Il fredonnait encore cette petite chanson quand, soudain, dans un bruissement de feuilles, Juliette surgit hors de sa cachette et lui sauta au cou : « Roméo ! C'est merveilleux, nous sommes sauvées ! »

Et, sans plus attendre, elle appela ses sœurs à tue-tête : « Roméo a tué le serpent ! Roméo a tué le serpent, couic, il lui a coupé la tête ! »

L'heureuse nouvelle se répandit vite dans la mare. Et bientôt une foule bondissante et joyeuse se pressa autour d'eux. Pendant que les prétendants se bousculaient pour féliciter le crapaud, les sœurs et les cousines embrassaient Juliette, qui répétait amoureusement au milieu des cris : « Il faut que je vous dise que je l'adore. Je l'adore ! »

« Bravo ! Youpi ! Hourra ! » s'écriaient
en chœur les rainettes. « Marions-les,
marions-les ! » et toutes s'empressèrent
de préparer la noce.
Ursule la libellule accepta, une fois n'est
pas coutume, de venir y faire un tour, et
l'on vit même Hugo l'asticot dressé sur
sa queue se tortiller de plaisir.